Kreative Kratzkunst
PINK & GLITZER

Los geht´s!

Spitz deinen Bleistift. Wie du siehst, gibt es viele Möglichkeiten, auf dem schwarzen Kratzpapier zu zeichnen.

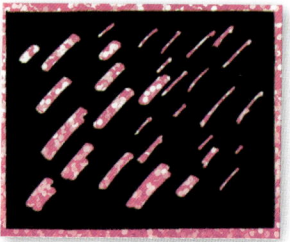
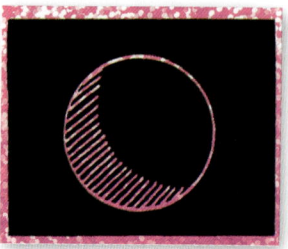

Entwirf tolle Motive, indem du Linien und Kreise wiederholst.

Drücke für dicke Striche fest auf oder drehe den Stift um.

Schraffiere deine Motive und du erzielst einen 3~D~Effekt!

Laminierstation:

Dein fertiges Kunstwerk kannst du laminieren, um es zu schützen. Laminiergeräte gibt es in Copyshops oder vielleicht in deiner Schule. Ist dein Werk laminiert, eignet es sich sogar als coole Schreibtischunterlage!

1
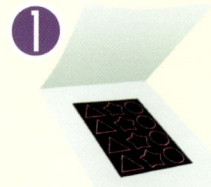

2
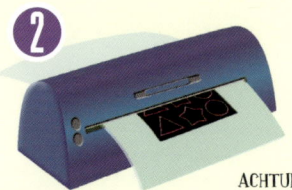

3
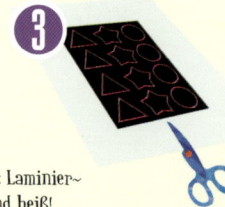

ACHTUNG: Laminier~ geräte sind heiß!

Lege das zu laminierende Bild zwischen die Vorder~ und Rückseite einer Folientasche.

Lege die Folientasche in ein Laminiergerät.

Schneide das laminierte Bild in die gewünschten Teile.

Denk nach!

Überleg dir, wie viel Platz du brauchst. Für mehrere Kunst~ werke kannst du die Blätter auch zurechtschneiden.

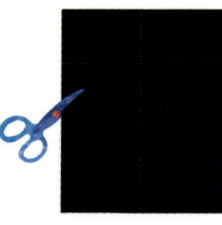

Sei kreativ!

Experimentiere mit verschiedenen Kratz~ Werkzeugen. Eine Plastikgabel macht zum Beispiel sehr interessante Muster.

Herz an Herz

Gestalte dieses Schild in Herzform für deine Zimmertür.
Welche Botschaft möchtest du in dein Herz schreiben?

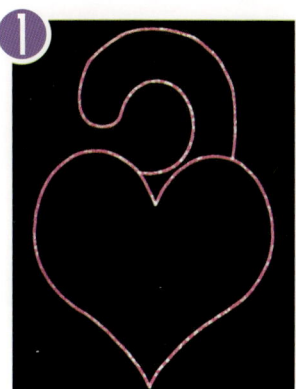

Zeichne ein großes Herz mit einem Haken auf das Papier.

Bemale Herz und Henkel mit hübschen Mustern.

Kratze deine Botschaft in die Mitte.

Übe die Botschaft vorher auf normalem Papier.

4 Schneide das Schild aus.

Hänge das Schild an die Tür, wenn du ein wichtiges Gespräch mit deinen Freundinnen hast!

Glitzeranhänger

Bastle glitzernde, pinke Anhänger oder Anstecker für dich und deine Freundinnen. Zeichne dafür zuerst Kreise auf Kratzpapier.

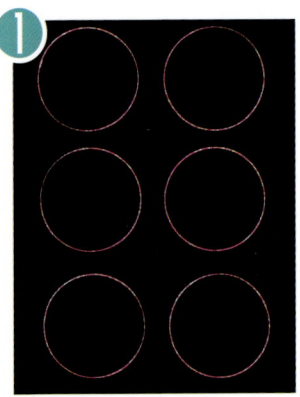  

Zeichne viele Kreise. Nimm einen runden Gegenstand als Schablone.

Male in jeden Kreis ein schönes Muster.

Kratze dann die Hintergründe frei.

Nimm schöne bunte Bänder für deine Ketten!

Schmuck für deine Freundinnen!

Schneide jeden Anhänger vorsichtig aus.

Die Anhänger brauchen oben ein Loch; an die Anstecker klebst du hinten eine Sicherheitsnadel.

4

Pinker Engel

Dieser pinke Engel ist ein wunderbarer Tischschmuck. Zeichne zuerst ganz zart eine Mittellinie, an der du dich orientieren kannst.

1

2

3

Zeichne Kopf, Körper und Arme.

Nun kommen Flügel, Haare und Hände dazu.

Verstärke die Linien und verziere den Engel.

Schneide den Engel aus. Dreh das Papier um und zeichne eine Mittellinie ein. Knicke den Engel vorsichtig. Nun kannst du ihn aufstellen.

Ein zauberhaftes Geschenk!

Glitzerohrringe

Für diese Ohrringe brauchst du nur kleine Stücke von deinem Kratzpapier. Mach mehrere Paare und verschenke sie!

1 Zeichne Kreise, Sterne oder Dreiecke. Du brauchst je zwei Paare.

2 Kratze ein Muster in jede Form.

3 Laminiere das Papier und schneide dann die Ohrringe aus.

4 Klebe je zwei aufeinander.

5 Stich ein Loch in die Form.

6 Jetzt kannst du Ohrringanhänger aus dem Bastelladen daran befestigen.

Perfekt für jede Party!

Freundschaftsbänder

Deine Freundinnen werden diese funkelnden
Freundschaftsbänder lieben!

1

Schneide einige schmale Streifen Kratzpapier aus,
die lang genug für ein Armgelenk sind.

2

Zeichne coole Muster auf die Streifen.

3

Klebe die Enden so
zusammen, dass sie
um den Arm passen.

Bastle Armbänder
für alle deine
Freundinnen!

Für die beste Freundin

Gestalte eine Karte für deine beste Freundin. Du kannst ein Herz
oder eine andere Form auswählen. Übe vorher auf normalem Papier.

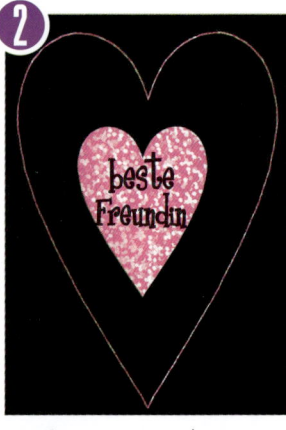

1 Male ein riesengroßes
Herz auf die ganze Karte.

2 Zeichne ein zweites Herz
mit deiner Botschaft.

3 Kratze hübsche Muster
in das große Herz.

4 Ritze mit der
Rückseite des
Stiftes eine
dickere Linie um
das große Herz.

5 Schneide das Herz
aus und klebe es
auf eine bunte
Klappkarte.

Schreibe
einen lieben
Gruß hinein.

Kleine Meerjungfrau

Zeichne eine schwimmende Meerjungfrau in einem glitzernden Meer und bastle für dein Bild einen bunten Bilderrahmen!

Zeichne eine Wellenlinie. Das wird das Meer.

Entwirf die Umrisse deiner Meerjungfrau.

Male Sonne, Wolke und einen Fisch hinzu.

Kratze jetzt eine Horizontlinie.

Verziere das Bild mit weiteren Details.

Schneide die Karte etwas größer als das Bild aus.

Klebe zwei Stücke buntes Tonpapier aufeinander.

Klebe das Bild auf den Rahmen.

Ein hübsches Bild für deine Wand!

Mini Mobile

Bastle dein eigenes Kratzbild~Mobile. Du kannst dir aussuchen,
wie viele Teile dein Mobile haben soll.

1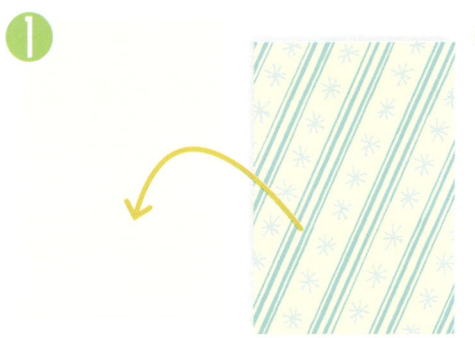

Klebe ein Stück Geschenkpapier auf
die Rückseite des Kratzpapiers.

2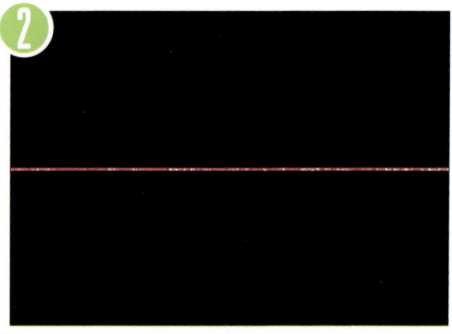

Markiere ganz dünn die Mittellinie.

3

Schreibe oben das Wort „LOVE" und
zeichne drei Herzen darunter.

4

Dekoriere Buchstaben und Herzen mit
kleinen Mustern.

5

Schneide das Wort und die Herzen aus.

Wiederhole diese Schritte, wenn dein
Mobile mehr Anhänger haben soll.

6

Klebe einen langen Wollfaden mittig auf die Rückseite der Formen, so dass das Gewicht gleichmäßig verteilt ist.

7

Reihe die Formen entlang des Fadens auf.

T. W.I.T.T.

Du kannst es auch in einem hübschen Umschlag verschenken.

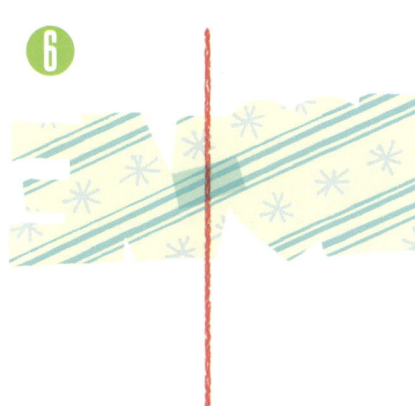

Hänge dein Mobile auf und lass es tanzen!

Herzen über Herzen

Geschenkanhänger kannst du ganz einfach selber machen.
Welches Motiv auf deinem Kärtchen zu sehen ist, entscheidest du!

Zeichne zwei Herzen
ineinander.

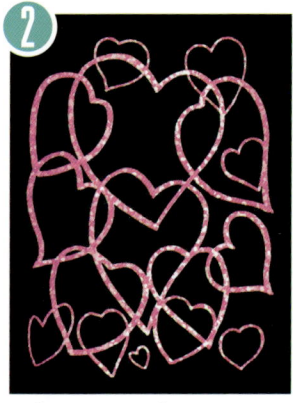

Male noch viel mehr
große und kleine Herzen.

Kratze Linien in manche
Flächen.

So wird jedes Geschenk besonders!

Zeichne viele kleine
Pünktchen in andere
Flächen.

Klebe dein Bild auf eine
kleine Karte und fädele
einen Bindfaden durch.

Pinke Tulpen

Diese schöne pinke Tulpenvase kannst du in einem Umschlag verschicken. Diese Blumen welken garantiert nicht!

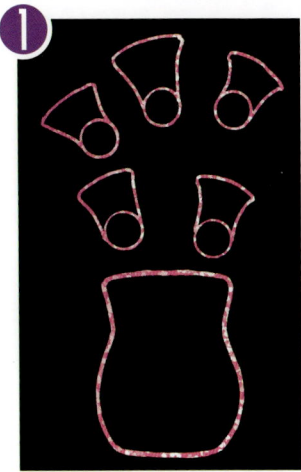
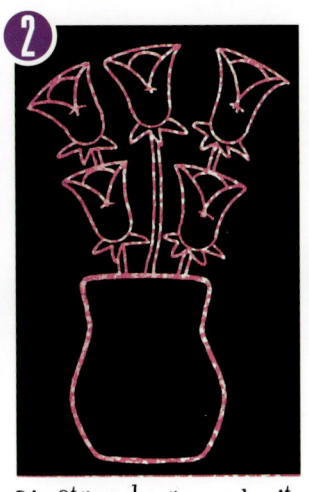

Zeichne eine Vase und einige Tulpenköpfe.

Die Stängel müssen breit und stabil sein.

Mal der Vase eine hübsche Schleife und Muster.

Die Vase eignet sich auch als Türschmuck!

Schneide vorsichtig aus.

Bastle grüne Blätter und klebe sie hinter die Blumen.

Kuss-Lesezeichen

Dieses Lesezeichen ist nicht nur praktisch, sondern auch wunderschön! Fallen dir noch andere Formen ein?

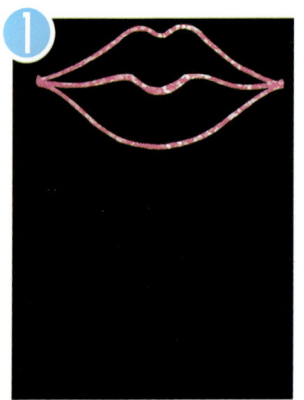

Zeichne oben einen dicken Kussmund.

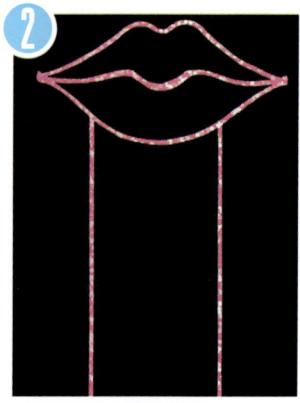

Füge zwei gerade, vertikale Linien hinzu.

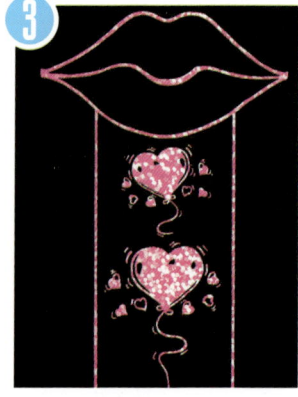

Kratze ein Muster auf das Lesezeichen.

Schneide es aus.

Ideal für Bücherfans!

Laminiere dein Lesezeichen, damit es länger schön bleibt, bevor du es ausschneidest.

Ritze einen kleinen Schlitz ein an der hier gelb markierten Stelle.

Jetzt kannst du den Kussmund an der Buchseite feststecken.

Pop-up-Karte

Diese Pop~up~Karte ist einfach zu machen und sieht toll aus.
Pass nur auf, dass du das Motiv nicht zu weit einschneidest.

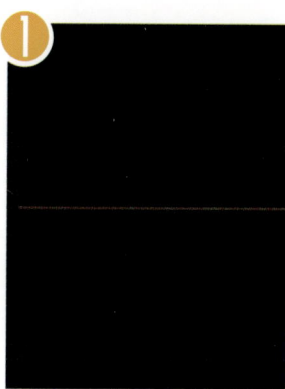

Markiere ganz zart eine Mittellinie.

Zeichne ein großes und viele kleine Herzen. Schreibe eine Botschaft.

Fülle das große Herz mit kleinen Sternen.

Schneide vorsichtig mit einem Cutter entlang der gelb markierten Linie. Lass dir dabei helfen.

Falte die Karte an der blauen Linie.

Jetzt kannst du die Karte aufstellen.

Pop-up-Karten sind cool!

Mach eigenes Kratzpapier!

Du kannst aus einfachen Materialien auch eigenes
Kratzpapier herstellen, wenn du alles verbraucht hast.

Kratzpapier

Das geht ganz einfach: du brauchst nur einen
schwarzen Wachsmalstift und Bastelkarton.
Du kannst auch eine Glitzerkarte verwenden.

Probiere aus,
welche Farbe sich
getrocknet am
besten abkratzen
lässt.

Bemale den Bastelkarton,
wie es dir gefällt.

Übermale das Muster
jetzt komplett mit dem
schwarzen Wachsmaler.

Du kannst auch schwarze
Wasserfarbe benutzen.

Schablonen

Schablonen eignen sich
für viele Kratzbilder. Um
gleichmäßige Formen zu
zaubern, falte einfach
ein Blatt in der Mitte.

Zeichne jetzt eine Form
deiner Wahl an die Stelle,
wo du das Blatt geknickt
hast.

Schneide die Form aus und
öffne das Blatt. Fertig ist
deine Schablone! Was hast
du noch für Ideen?